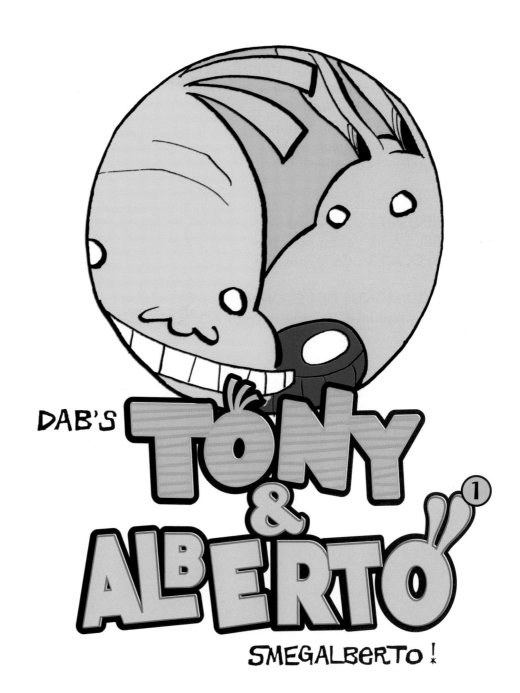

DAB'S

TONY & ALBERTO ①

SMEGALBERTO !

tchô!
La collec...

DU MÊME AUTEUR :

TONY & ALBERTO T.1 : *Smégalberto !*
TONY & ALBERTO T.2 : *Alberdog !*
TONY & ALBERTO T.3 : *Albertonynocanichou !*
TONY & ALBERTO T.4 : *Super blaireau*
TONY & ALBERTO T.5 : *Yes Sir !*
TONY & ALBERTO T.6 : *Pandi, Panda*
TONY & ALBERTO T.7 : *Pigeon, vole !*
Éditions Glénat/Tchô! La collec'...

NINO ET REBECCA T.1 : *Tu t'es vu ?*
NINO ET REBECCA T.2 : *C'est pour moi !*
NINO ET REBECCA T.3 : *Ça lui passera !*

CHAMPIONS DU MONDE DE L'ÉCOLOGIE
Texte : Stéphane Frattini & Stéphanie Ledu / Dessins : Dab's
Éditions Milan

Rejoins toute la bande à Tchô! sur le MEGASITE
www.tcho.fr

Tchô! La collec'...
Collection dirigée par J.C. CAMANO

Dépôt légal : mai 2000
Achevé d'imprimer en France en octobre 2006 par *Partenaires Book*®

www.glenat.com

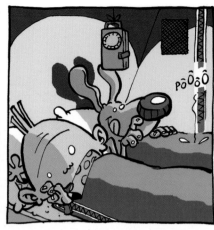

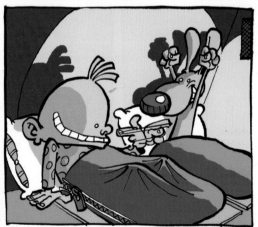

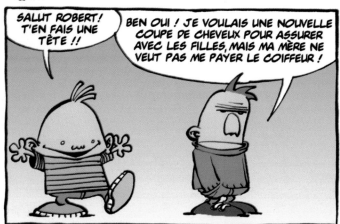

SALUT ROBERT! T'EN FAIS UNE TÊTE !!

BEN OUI ! JE VOULAIS UNE NOUVELLE COUPE DE CHEVEUX POUR ASSURER AVEC LES FILLES, MAIS MA MÈRE NE VEUT PAS ME PAYER LE COIFFEUR !

EH BEN MOI, JE CONNAIS QUELQU' UN QUI PEUT TE LES COUPER, TES CHEVEUX ! ET GRATOS EN PLUS !

AH OUAIS ?! QUI ÇA ?

ALORS, ALBERTO, JE VOUDRAIS QUE TU ME FASSES LA COUPE DE LÉONARDO DI CAPRIO !

CES ABRUTIES DE FILLES EN SONT TOUTES FOLLES, DE CE TYPE!

C' EST SA COIFFURE QUI LE REND SEXY! JE L' AI DANS UNE REVUE DE MA MÈRE !

EH BEN ! TU VAS ÊTRE UNE VÉRITABLE ATTRACTION À L' ÉCOLE !

C' EST CHOUETTE D ' AVOIR UN CHIEN COIFFEUR ! IL A APPRIS COMMENT ?

EN TONDANT LA PELOUSE !!

LA PELOUSE ?...

C' EST TOUJOURS LUI QUI TOND LA PELOUSE, ALORS, DE FIL EN AIGUILLE !

L' HERBE, C' EST UN PEU COMME DES CHEVEUX QUI POUSSENT PAR TERRE !

AH?

DIS DONC, AL, C' EST QUOI, TON SHAMPOING ? IL A UNE DRÔLE D' ODEUR !

"MASSACRE- PELOUSE" DE SULFURIX !

SNIF! SNIF!

DU DÉSHERBANT ! TU AS UTILISÉ DU DÉSHERBANT !

PRRRRR

UNE VÉRITABLE ATTRACTION, HEIN?! J' ESPÈRE AU MOINS QUE ÇA VA REPOUSSER !

KOJAK AUSSI AVAIT DU SUCCÈS AVEC LES FILLES, TU SAIS !!

MAIS ALORS, J'AI MIS QUOI, MOI, SUR LE GAZON ?

BON ! MAINTENANT, LES ENFANTS, NOUS ALLONS VOIR SI VOUS AVEZ BIEN COMPRIS CETTE ATTAQUE !!

POUR CELA, NOUS ALLONS SIMULER QUELQUES COMBATS PENDANT LE TEMPS QUI NOUS RESTE !!

IL ME FAUT UN PARTENAIRE !!!

VOUS !

MOI?

VAS-Y RENATO, MORDS-Y L'OEIL !

J'EN CONNAIS UN QUI VA MANGER DES COUPS !!

BAF!

BING!

POUM!

OULÀ !

PURÉÉE !

SUIVANT !

VOUS !

ZEN, VIEUX, ZEN !

VLAN!

POUF!

CRAC!

MINCE! QUES'QU' IL PREND, DIS DONC!!

SUIVANT !

VOUS!

OUAHÉÉ, C'EST PAS JUSTE! POURQUOI LUI ET PAS MOI?

VA MOURIR! C'EST MOI QU'IL A DÉSIGNÉ !

PIF!

PAF!

BING!

BON ! DANS L'ENSEMBLE, CE N'EST PAS TROP MAL ! LA SEMAINE PROCHAINE, NOUS APPRENDRONS LA GRIFFE DU BABOIN. À JEUDI PROCHAIN, MESSIEURS!

HÉ ! HÉ! J'ADORE CES COURS DE TAÏSHI-TUATSU !

OUAIS! ÇA ÉVACUE TOUT LE STRESS DE LA JOURNÉE !!

MOI, J'AI VU SES BOTTES !

MOI, JE L'AI SURPRIS EN ALLANT AUX TOILETTES !

ET MOI, IL A PARLÉ AVEC MES PARENTS !

EH BEN MOI, UNE FOIS, IL S'EST COINCÉ DANS LA CHEMINÉE, ET C'EST MOI QUI L'AI DÉBLOQUÉ !

?

WOA L'AUTRE... QUEL MENTEUR !

NON MONSIEUR ! C'EST VRAI ! MÊME QU'IL M'A PROMIS UN TOUR DE TRAÎNEAU POUR ME REMERCIER !

DITES, LES GARS, VOUS PARLEZ DE QUI, LÀ ?

DU PÈRE NOËL !

BAH TIENS ! PAS TOI ?

VOUS L'AVEZ VU ?

HEUU... NON !

HÉ LES MECS ! TONY, IL A JAMAIS VU LE PÈRE NOËL !!

OUAH-AH ! QUEL GROS NUL !

ALBERTO, CE SOIR ON ATTEND LE PÈRE NOËL !

PAF

ET PUIS ON LE SUIVRA POUR SAVOIR OÙ IL PLANQUE TOUS SES CADEAUX !

OUÉ !

OUAIS, MAIS IL NOUS FAUDRAIT UNE BONNE PLANQUE POUR L'ESPIONNER...

HEUU...

IL VA SE DOUTER DE QUELQUE CHOSE !

MAIS NON ! IL PENSERA QUE TU AS UN PIED-BOT !

BO OORPS!

PLOP

LE DRAKKAR LUTTAIT CONTRE LA TEMPÊTE.

LA HOULE S'AMPLIFIAIT DE MINUTE EN MINUTE MAIS THOR S'EN MOQUAIT CAR IL NE CONNAISSAIT PAS LA PEUR ...

MÊME PAS PEUR, TRALALALALÈRE !

CHEF THOR ! CHEF THOR ! VOILE À BÂBORD !

FIGURE-TOI QUE J'AVAIS VU, JURGEN !

C'EST OÙ BÂBORD, DÉJÀ ?

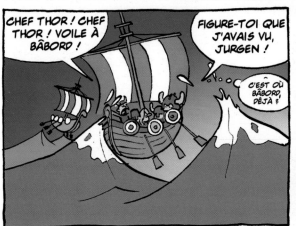

HA ! HA ! MAIS C'EST BODIN LE FOURBE ! PRÉPAREZ-VOUS À L'ABORDAGE, MES FIDÈLES GUERRIERS!

GÉRONIMOOO!

PRENDS ÇA, FÉLON ?

POF!

SOUDAIN, LES BATEAUX S'IMMOBILISÈRENT...

LA MER S'ÉTAIT TOTALEMENT VIDÉE !

PURÉE ! ON A MIS DE L'EAU PARTOUT !

HA ! HA ! ATTENDS-VOIR, JE VAIS RE-REMPLIR LA BAIGNOIRE !

15

HÉ M'SIEUR, SIOUPLAÎT! ON AIMERAIT BIEN PRENDRE UN JEU, MAIS ON NE S'Y CONNAÎT PAS TROP! VOUS POURRIEZ PAS NOUS AIDER ?

MAIS BIEN SÛR, MON P'TIT GARS! TU VEUX QUOI COMME GENRE ?

CALMOS, ROBERT, C'EST MOI QUI PARLE !

NOUS ON VOUDRAIT UN JEU QUI BOUSTE !!

UN JEU QUI BOUSTE ?

DIS-LUI, POUR LES MORTS-VIVANTS!

OUAIS! AVEC DU SANG ET DES TRIPES QUI GICLENT PARTOUT!

AH OUI! ET AVEC DES MORTS-VIVANTS DÉCAPITÉS!

IL Y A CELUI-CI, "ULTRA-GORE SCARIFICATION"!

EST-CE QU'ON UTILISE UNE TRONÇONNEUSE ?

UNE TRON- ÇONNEUSE ?

OUAIIIS! ON VEUT TUER LES MONSTRES AVEC UNE TRONÇONNEUSE!

OUPS!

AH NON! DANS CE JEU, ON TUE LES MONSTRES AVEC UNE MITRAILLEUSE!!

UNE MITRAILLEUSE! OUAAAAAH! C'EST RINGARD!

SI VOUS VOULEZ UNE TRONÇONNEUSE, IL Y A "DEATH WARRIOR ULTIMATE DESTRUCTION 4"!!

EST-CE QU'IL Y A UNE OPTION POUR BUTER LES TROLLS AVEC UNE INCANTATION ?

MAIS..! IL N'Y A PAS DE TROLLS DANS CE JEU!

COMMENT ÇA, PAS DE TROLLS!! MAIS S'IL N'Y A PAS DE TROLLS DEDANS, C'EST NUL !!

ON N'EN VEUT PAS DE VOTRE JEU POURRI! ON VEUT UN JEU GORE! UN JEU SALE! ENFIN UN JEU QUI NOUS DÉGOÛTE, QUOI!

UN JEU QUI VOUS DÉGOÛTE? ATTENDEZ, J'AI PEUT-ÊTRE CE QU'IL VOUS FAUT!

VOILA! AVEC ÇA JE VOUS GARANTIS UN DÉGOÛT TOTAL !

SUPER ! PRÉPARE LES SACS À VOMI, ROBERT, ÇA VA SAIGNER !

MAIS...! MAIS C'EST QUOI, CE JEU ? J'ESSAYE DE TUER UN CHIEN ET IL SE TRANSFORME EN CAROTTE !!

100P

"BAZIN LE LAPIN MALIN ET LES GENTILLES CAROTTES MAGIQUES"! JE CROIS QUE LE VENDEUR NOUS A EUS, TONY!!

DÉGOÛTÉ! JE SUIS DÉ-GOÛ-TÉ !!

DES LUNETTES QUI DÉSHABILLENT?! SANS RIRE, ÇA EXISTE ÇA ?...

CHEZ MOI, AUX USA, TOUT LE MONDE EN PORTE !

HÉ, ÇA MARCHE!!

HA! HA! RO-BERT A UN PEUU-TIT ZIZIII-EU !!

TOO-NY Ô -SSI-EUU !!

ALLEZ HOP ! ON VA LES ESSAYER DEHORS !!

T'AS VU ? ILS PORTENT TOUS LES MÊMES LUNETTES QUE NOUS !

MAIS NON, BANANE ! CE SONT DES LUNETTES POUR REGARDER L'ÉCLIPSE !

AH OUAIIIS ! C'EST VRAI QU'IL Y A L'ÉCLIPSE AUJOURD'HUI !

COMME ÇA, ON NE SE FERA PAS REMARQUER !

PAF !

OULÀLÀLÀ ! VOUS AVEZ VU ?

ET LÀ ?

OH, PURÉE !

HÉ, 'REGARDEZ ! LE SOLEIL EST PRESQUE NOIR !

ON NE DEVRAIT PAS PLUTÔT LE REGARDER AVEC LES LUNETTES SPÉCIALES POUR LES ÉCLIPSES ?

HÉ-HO ! ON N'EST PAS DES FILLETTES !

AAAAH ! LE SOLEIL N'A PAS DÛ AIMER QU'ON LE VOIE TOUT NU !

SOLANGE ?

OUI DOCTEUR ?

VOUS POUVEZ VENIR ICI DEUX MINUTES ?

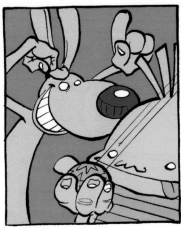

Alberto était le shérif de Downtown ...

Il était marié avec Ashley, une splendide femme éperdument amoureuse de lui...

HÉ ! HÉ !

OOOH ! ALBERTO !

élu meilleure gâchette du comté, tous les renégats de la région le craignaient...

...même Tony, l'infâme gangster, avait peur de lui

MON DIEU, MAIS C'EST LE SHÉRIF ALBERTO !

Cependant, ce rascal profita d'un moment d'inattention pour braquer une banque.

BANK

Mais Alberto le rattrapa et le provoqua en duel. Tony était fichu...

DÉGAINE, COYOTE, C'EST UN CONSEIL !

Finalement, Tony tua Alberto, devint shérif à sa place et se maria avec Ashley.

OOOH ! TONY!

OUAIS, JE PRÉFÈRE ÇA !

HÉ ! HÉ !

TAP ! TAP !

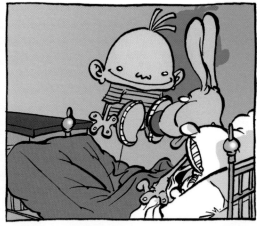

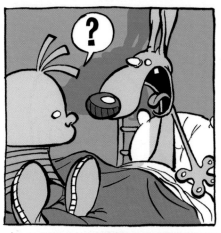

OUAIS, J'AI MIS UNE COQUILLE PAS'QU'IL PARAÎT QUE QUAND TU PRENDS UN COUP LÀ, TU NE PEUX PLUS AVOIR D'ENFANTS!!

TIENS, V'LÀ ROBERT!!

AVEC UNE FILLE!

HÉ, ROBERT!

C'EST MA SOEUR, J'DOIS LA GARDER!

ELLE S'APPELLE COMMENT?

CLÉMENTINE!

ELLE EST UN PEUUU...!

OUI!

TOC! TOC!

BON, TU FAIS UN UN FOOT AVEC NOUS?

OUAIIIS! J'PEUX JOUER? J'PEUX JOUER?

AH NON! PAS QUESTION! TOI, TU JOUES PAS!

ELLE SAIT JOUER, JE TE PRÉVIENS!

UNE FILLE QUI SAIT JOUER AU FOOT! OUAAAARF! ARF! LAISSE-MOI RIRE!

SI JE TE LE DIS!!

PAF!

OK! OK! CLÉMENTINE, TIRE-MOI UN PENALTY! MOI JE VAIS AU GOAL!

ALLEZ! VAS-Y, QUOI!

POF!

AAAAAAAAH! JE N'AURAI JAMAIS D'ENFANTS!

SA COQUILLE L'A SAUVÉ!

ALLÔ?LE SELECTIONNEUR DE L'ÉQUIPE DE FRANCE?

PURÉE DE PURÉE DE PURÉE DE PURÉE !!!

EH BÉ, TU FAIS QUOI, LÀ ?

TU VOIS PAS QUE ÇA FAIT UN QUART D'HEURE QUE J'ESSAYE DE DÉMARRER ?!

AU FAIT, TON PÈRE EST AU COURANT QUE TU LUI AS EMPRUNTÉ SA VOITURE ?

T'ES FOU, TOI !?

J'AI PAS LE PERMIS, IL VOUDRA JAMAIS !

C'EST PEUT-ÊTRE POUR ÇA QUE TU N'ARRIVES PAS À DÉMARRER !

HA! HA! HA! TU PLAISANTES ? LA CONDUITE, CHEZ MOI, C'EST INNÉ ! PAS BESOIN DE PERMIS !

INNÉ ? N'EMPÊCHE QUE TU N'ARRIVES MÊME PAS À DÉMARRER !

LA FERME! QU'EST-CE QUE T'Y CONNAIS, TOI, D'ABORD ?!

JE SAIS DÉJÀ QU'IL FAUT TOUJOURS DÉMARRER AVANT DE DESSERRER LE FREIN À MAIN !

OH ? ...

JE SAIS AUSSI QUE LA DIRECTION SE BLOQUE LORSQU'ON BOUGE LE VOLANT SANS AVOIR MIS LE CONTACT !

ET C'EST MAINTENANT QUE TU ME LE DIS ?!

J'AURAIS PU ÉVITER CET ABRUTI DE POTEAU !

ALLEZ QUOI, DESCENDS ! FAIS PAS L'IDIOT !
QUES'QUY SE PASSE ?
'Y A TONY QUI EST EN TRAIN DE SE SUICIDER !
AH OUAIS ?

VAS-Y, TONY, SAUTE !!
?

OK, J'Y VAIS !
HÉ, AL ! T'ES PAS BIEN DE DIRE DES TRUCS COMME ÇA !
PFF ! JE LE CONNAIS, IL NE LE FERA JAMAIS !

GÉRONIMO !

IL A SAUTÉ ! IL A SAUTÉ !
PURÉE ! PURÉE !
GNNN !

PAF

BANDE D'ABRUTIS ! VOUS N'AVIEZ PAS VU QUE J'ÉTAIS ATTACHÉ À UN ÉLASTIQUE ?!

ET ALORS ? UN ÉLASTIQUE, ÇA CRAQUE !
LE MIEN EST SUPER SOLIDE !

OUI, MAIS LA BRANCHE AURAIT PU CASSER ...!
... ET TU TE SERAIS APLATI PAR TERRE COMME UN VIEUX FLAN !
PFFF ! N'IMPORTE QUOI !

CRAC

TIENS, NON ... C'EST LA BRANCHE QUI S'EST ÉCRABOUILLÉE SUR TONY !

BONJOUR M'SIEUR ! DES SUPPOSITOIRES À LA GLYCÉRINE, SIOUPLAÎT !

BONJOUR PETIT ! ENCORE CONSTIPÉ ?

HEUU... VOUI !

GRIPPE

TROUVEZ EINS TRO ETIFS, VITE

ESSAYEZ BOURSIN.

ÊTES VOUS VACCINÉ CONTRE LES APHTES ? UNE PIQÛRE DE NAPHTALINE

VOILÀ TES SUPPOSITOIRES !

ET J'AI AUSSI UN PETIT CADEAU POUR TOI !

AH OUAIS ?

C'EST QUOI ?

DES PRUNEAUX ! C'EST UN LAXATIF, ET EN PLUS C'EST BON !

ET PUIS C'EST NATUREL !

YOUPIIIIII !

ALORS ? T'EN AS MIS DU TEMPS ! T'AS TOUT ?

SIROP DE GRENAD

FRAIS

OUTARDE DE DIJON

OUAIS !

J' ESPÈRE QUE T' AIMES LES PRUNEAUX !

JE COUPE LES SUPPOSITOIRES EN DEUX, ÇA MARCHERA MIEUX !

TAC
TAC
TAC

TU VIENS ?! ON VA LES ESSAYER DANS MA CHAMBRE !

SUPER !

OUARF! ARF! ARF! ENCORE À CÔTÉ !

COMME SI C'ÉTAIT FACILE ! À TON TOUR ! ON VA VOIR SI T'ARRIVES À LE METTRE EN PLEIN DEDANS TON SUPPO !

OUPS ! ATTENDS, IL NE VEUT PAS RENTRER !

AH SI, VOILÀ !

AH, FLÛTE ! À CÔTÉ MOI AUSSI !

PFIUU

ARGL ! 'FAUT QUE J' AILLE AUX TOILETTES !

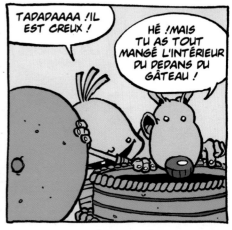

EH BEN VOILÀ, C'EST GAGNÉ ! MAINTENANT ELLE EST TOUTE CASSÉE !

LA FAUTE À QUI ?

SI TU NE CONFONDAIS PAS TA GAUCHE ET TA DROITE !

J'Y PEUX RIEN ! JE NE SUIS PAS LATÉRALISÉ !

OUAIS, BAH RÉSULTAT, ON N'A PLUS DE LUGE !

ATTENDS ! J'AI UNE IDÉE !

HI ! HI ! UN SAC POUBELLE ! PAS BÊTE, ÇA !

BON ! T'ES PRÊT POUR LA DESCENTE DE LA MORT ?

BANZAÏ !

OULÀLÀLÀLÀ !

OUAAAAAAAAAAH !

PURÉE !

PURÉE !

PURÉE !

BAM !

PURÉE !

PURÉE !

T'AS VU ÇA, RAOUL ? ILS ONT INVENTÉ LA POUBELLE À ÉJECTION AUTOMATIQUE !

ON N'ARRÊTE PAS LE PROGRÈS !

? ?

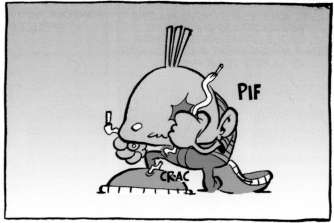

... ET MAINTENANT, NOUS ALLONS ACCUEILLIR LES ENFANTS DE L'ÉCOLE SAINTE-MARIE-DES-PRÉS, VENUS SPÉCIALEMENT À L'OCCASION DE LA FÊTE DE LA MUSIQUE !

BONJOUR PETIT! COMMENT T'APPELLES-TU ?

TONY !

DIS-MOI, TU AS UN BIEN JOLI CHIEN ! POURQUOI EST-IL TOUT JAUNE ?

ÇA VOUS REGARDE ? JE VOUS DEMANDE, MOI, SI VOTRE SŒUR FAIT DU DELTAPLANE ?

HA! HA! LES ENFANTS SONT FORMIDABLES! TU ES DONC VENU ICI POUR CHANTER UNE CHANSON !

BEN OUAIS, JE SUIS PAS VENU POUR FAIRE UN GOLF !

HEUU ... EH BIEN VAS-Y, C'EST À TOI, PETIT CR... HEU... PETIT !

HUM ...

TARATATA

TU AVAIS DIT QUE TU CHANTAIS!

BEN QUOI ..? C'EST L'INTRO!

AH NON ! DONNE-MOI CETTE TROMPETTE !

N'APPROCHEZ PAS OU JE DIS À MON CHIEN DE VOUS BOUFFER !

AÏE !
MORDS-Z-Y LES FESSES ALBERTO !
SALETÉ DE CLEBS !
AAAH ! MAIS CALMEZ CE CHIEN !

BOM BOM BOM

SALE GOSSE, IL M'A FRAPPÉ !
RATTRAPEZ-LE! IL EST PARTI AVEC LE MICRO !

MAISON DE LA RADIO

QUAND ♪ JE PENSE À FERNANDE, ♪ JE ...

BON ALORS, TU Y VAS ?

T' ES SÛR QUE C' EST SANS DANGER ?

BEN OUI, PUISQUE JE T 'AI PRÊTÉ LE CASQUE DE MOBYLETTE DE MON PÉPÉ !

OUAIS, MAIS BON !

ALBERTO, DIS-LUI QU 'IL NE RISQUE RIEN !

HMM..?

ALBERTO!

HEIN ? QUOI..? OUI ! OUI !

AH ! TU VOIS ?!

BON , OK !

BOM BOM BOM !

MAIS SI TU NE LE SENS PAS, NE LE FAIS PAS !

TOUT LE MONDE N' EST PAS COURAGEUX !

SI, SI, J' Y VAIS !

HÉ! N' OUBLIE PAS LE PARAPLUIE !

AH OUI ! DONNE !

AU FAIT, J'ATTERRIS OÙ ?

T' EN FAIS PAS, TA TRAJECTOIRE EST TOUTE TROUVÉE !

C' EST TOUT DROIT !

SAUTE !

TONY! JE VOLE !!

C' EST ÇA ! ALLEZ, TCHÔ !

QUEL NAÏF, CE TYPE !

BAM

C' EST BON ! ROBERT EST PARTI, TU PEUX RESSORTIR LE GÂTEAU !

TU CROIS QU'IL AURAIT TOUT MANGÉ ?

CHAIS PAS, MAIS ON N'EST JAMAIS TROP PRUDENT !

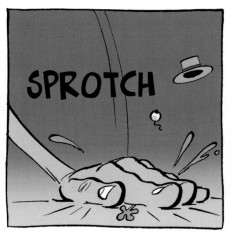

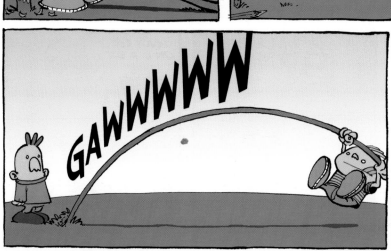

AH ! IL EST LÀ !

MAIS POURQUOI TU JETTES DES MARTEAUX SUR LE TOIT ?

J' M' ENTRAÎNE AU LANCER POUR LES J. O. !

ÇA VA PAS, NON ?! J' AI FAILLI PRENDRE LE MARTEAU SUR LA TRONCHE !...

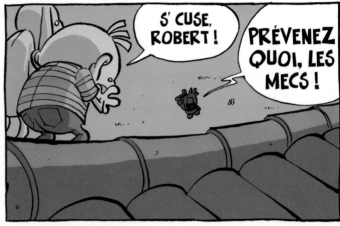
S' CUSE, ROBERT !

PRÉVENEZ QUOI, LES MECS !

BON, ON FAIT COMMENT POUR REMPLACER LA TUILE !

ELLES SONT JUSTES POSÉES, 'SUFFIT JUSTE DE TIRER DESSUS !

GNNNN

ÇA Y EST, ON L' A EUT !

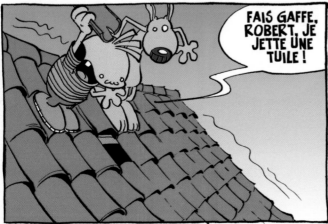
FAIS GAFFE, ROBERT, JE JETTE UNE TUILE !

OUPS !

ROBERT, DIS QUELQUE CHOSE !

ARG !

Chaque mois, je m'éclate

avec

2.